Destination
Yucatan

Catalogage avant publication de Bibliothèque et Archives nationales du Québec et Bibliothèque et Archives Canada

Carrière, Alexandre

Destination Yucatan
Nouv. éd.
(Caméléon)
Pour les jeunes de 10 à 12 ans.
ISBN 978-2-89647-063-1

I. Titre. II. Collection: Caméléon (Hurtubise HMH (Firme)).

PS8555.A7703D47 2008   jC843'.6   C2008-941037-8
PS9555.A7703D47 2008

Les Éditions Hurtubise HMH bénéficient du soutien financier des institutions suivantes pour leurs activités d'édition:

– Conseil des Arts du Canada;
– Gouvernement du Canada par l'entremise du Programme d'aide au développement de l'industrie de l'édition (PADIÉ);
– Société de développement des entreprises culturelles du Québec (SODEC);
– Gouvernement du Québec par l'entremise du programme de crédit d'impôt pour l'édition de livres.

Maquette de couverture: fig. communication graphique
Éditrice jeunesse: Nathalie Savaria
Illustration de la couverture: Marie Lafrance

© Copyright 2004, 2008
Éditions Hurtubise HMH ltée
Téléphone: (514) 523-1523 • Télécopieur: (514) 523-9969
www.hurtubisehmh.com

Distribution en France
Librairie du Québec/DNM
Téléphone: 01 43 54 49 02 • Télécopieur: 01 43 54 39 15
www.librairieduquebec.fr

Dépôt légal/2ᵉ trimestre 2008
Bibliothèque et Archives nationales du Québec
Bibliothèque et Archives du Canada

Imprimé au Canada

Alexandre Carrière

Destination
Yucatan

caméléon 10 à 12 ans

Avant même de terminer ses études secondaires, **ALEXANDRE CARRIÈRE** lance sa propre compagnie de production cinématographique. Après ses études en cinéma à la *Vancouver Film School*, il part avec sa plume et son sac à dos afin de découvrir le monde et ses sept mers. En tout il foule le sol d'une trentaine de pays. À son retour au Québec, il s'installe à Montréal où il travaille dans l'industrie du cinéma. Aujourd'hui établi à Burlington, en bordure du lac Ontario, il passe ses journées à rédiger scénarios et romans pour les jeunes. *Destination Yucatan* est la deuxième aventure de son héros, Maxime Routhier, alias agent 008.

À Martine

1

Une enquête sous le soleil

«Eh, Routhier, comment vont tes deux nez?» m'a demandé Jonathan Tremblay en faisant allusion au bouton que j'avais sur le pif depuis quelques jours.

Pas mal mieux que tes dents croches et tes oreilles de Shrek, ai-je eu envie de répondre, mais c'était peine perdue. Tremblay agissait toujours en idiot quand la belle Jade Dagenais, tout juste arrivée en Outaouais, était dans les parages. J'ai préféré l'ignorer et vider le contenu de ma case dans mon sac à dos (mes profs semblaient s'être passé le mot pour m'ensevelir sous les devoirs).

— Prends-tu l'autobus avec moi, Maxime? m'a demandé Jade sans se pré-occuper de Jonathan Tremblay.

— Désolé. Je dois aller travailler.

— Travailler?

Évidemment, je ne pouvais pas lui dire que mon père est un détective privé et que je lui donne un coup de main pour ses filatures. De toute façon, je doutais qu'elle veuille croire qu'un garçon de treize ans puisse avoir mené une enquête à terme, en plus d'avoir contribué à la fermeture d'un casino illégal en France*.

— Oui! J'aide mon père. Il est photographe, ai-je affirmé.

Voilà ce que je réponds toujours lorsqu'on s'informe du métier de mon père. Je ne peux tout de même pas crier sur tous les toits que Jacques Routhier est le «James Bond» de l'Outaouais. D'ailleurs, il ressemble plus au bonhomme Pillsbury qu'à n'importe qui d'autre.

— J'adore la photographie, m'a-t-elle confié alors. Crois-tu que je pourrais t'accompagner un de ces quatre?

— Euh… pff…!

* Voir dans la même collection *Alias agent 008*.

Quelle réponse! La belle Jade Dagenais m'a demandé de faire de la photo avec elle et la seule chose que j'ai trouvé à lui dire, c'est: «Euh, pff…!»

Ce n'était pas génial!

C'est vrai! J'étais capable d'aider mon père à mener les enquêtes les plus dangereuses, à effectuer les filatures les plus complexes; par contre, comprendre les filles et leur faire la conversation, c'était une tout autre histoire!

Et je ne vous parle pas de ma petite amie Noémie Ladouceur (ex-petite amie, devrais-je dire). Elle m'a laissé tomber pour un garçon de dix-sept ans! Sans blague, non seulement il a cinq ans de plus qu'elle, mais il ressemble à Chewbacca dans *La Guerre des étoiles* avec ses cheveux longs… De plus, il porte des boucles d'oreilles, ou plutôt des boucles de nez. Je l'appelle le «Seigneur des anneaux».

Donc, j'en avais assez des histoires d'amour! J'avais du pain sur la planche. Depuis plus d'une semaine, j'aidais mon père à régler le cas «Marcel Fillion», un homme recherché pour fraude fiscale.

Après l'école, je me suis aussitôt rendu au bureau de mon père.

— Bonjour, Maxime! Ton père ne devrait pas tarder, m'a annoncé sa secrétaire avant de répondre au téléphone: «Investigations Delisle, bonjour!»

À sa gauche, j'ai aperçu un homme qui attendait mon père. C'était monsieur Duguay, un client assidu de la maison. Chaque année, il demandait de faire suivre sa femme pendant quelques jours afin de s'assurer qu'elle ne le trompait pas avec un autre homme.

Sachant que j'allais devoir patienter pendant une bonne vingtaine de minutes, je me suis mis à lire le journal que mon père avait laissé sur son bureau. Il avait encerclé au stylo bille un article en première page. On y parlait de la disparition mystérieuse de quatre personnes dans la péninsule du Yucatan, au Mexique. J'ai cru comprendre que l'une d'entre elles était une archéologue française à la recherche d'un ancien temple maya.

Cette nouvelle avait de quoi faire frémir monsieur Dorval, mon enseignant d'histoire. Les Mayas sont son sujet de prédilection. Ce peuple, apparu il y a plus de 1500 ans, aurait construit d'énormes temples et des cités au milieu des jungles de l'Amérique centrale et du Sud. Paraît-il que les Mayas étaient agriculteurs et qu'ils pratiquaient d'étranges rituels.

Malgré l'intérêt de cet article, je ne saisissais pas ce qui avait attiré l'attention de mon père.

Celui-ci est enfin entré dans son bureau en compagnie de monsieur Duguay.

— Tu te rappelles mon fils? lui a-t-il demandé.

— Bien sûr! Maxime! Eh bien! Qu'est-ce que tu lui as fait manger? La dernière fois que je l'ai vu, il avait bien trente centimètres de moins.

— Deux litres de lait par jour, lui a répondu mon père.

Ils se sont mis à rire pendant une bonne dizaine de secondes. L'humour adulte a des secrets encore plus mystérieux que celui de la Caramilk.

Une fois de plus, mon père a accepté de filer la femme de monsieur Duguay. J'ai dû attendre que ce dernier s'en aille avant de parler de l'article sur le Yucatan.

— Il s'agit de notre prochaine enquête! m'a-t-il annoncé. Mon cher fils, tu vas passer ta semaine de relâche au Mexique, dans la péninsule du Yucatan, avec ton petit papa adoré.

Le soir même, il m'a mis au fait de la situation : l'archéologue française disparue était une grande amie de Fabienne Brondex, la nouvelle blonde de mon père. Celle-ci s'était empressée de mettre mon père en contact avec la famille Delormier afin qu'elle nous confie cette enquête. «Ce sont des détectives hors pair», leur avait-elle dit.

— Quelles sont tes hypothèses à propos de la disparition de cette femme? ai-je demandé.

— Pour l'instant, tout ce que je sais, c'est qu'Hélène Delormier était sur un gros coup. Elle avait révélé à quelques collègues de travail qu'elle venait de découvrir l'existence d'un ancien site maya qui, selon la rumeur, se trouverait dans la péninsule du Yucatan ou sur une île toute proche. Dimanche prochain, nous allons débarquer à Cancun afin de retrouver l'archéologue française et les trois autres personnes portées disparues.

C'est ainsi qu'a commencé une nouvelle enquête pour Maxime Routhier, alias agent 008!

2

Puerto Aventuras

L'attaché politique de l'ambassade de France nous attendait à l'aéroport de Cancun. Il arrivait expressément de Mexico afin de nous faire part des derniers développements dans l'affaire Hélène Delormier.

— Vous devez être Jacques et Maxime Routhier, a-t-il dit en nous serrant la main. Vincent Banville, de l'ambassade de France. Bienvenue au Mexique!

Deux membres de la police locale habillés en veston et cravate l'accompagnaient. L'un portait une grosse barbe foncée et l'autre avait une cicatrice sous l'œil gauche.

Nous les avons suivis jusqu'à un petit café en banlieue de Cancun, à Puerto Juarez.

La pauvreté de l'endroit m'a choqué! Imaginez le centre-ville de Montréal. Maintenant, enlevez les édifices, l'asphalte des rues et les feux des intersections. Ensuite, remplacez les Mercedes par de vieilles Coccinelle, les écureuils par des lézards, les fenêtres par des barreaux et le métro par des autobus avec des cages à poules, des valises et une dizaine de Mexicains sur le toit.

Et que dire du restaurant où l'attaché politique nous a emmenés! On se serait cru dans un kiosque à poissons.

— Voici l'information que nous avons recueillie jusqu'à présent, nous a dit monsieur Banville avant de pousser une pile de dossiers vers mon père. Madame Delormier a été vue pour la dernière fois dans ce restaurant, situé juste à côté de son hôtel.

— Qui sont les trois autres disparus? a demandé mon père en regardant l'hôtel El Albatros derrière le restaurant.

— Ralph Knaupp, de Francfort, en Allemagne, quarante-sept ans, archéologue, habitant Paris depuis 1981, arrivé au Mexique le 1er janvier. Donovan Walsh, de l'Oregon, vingt-quatre ans, étudiant à temps plein en archéologie, arrivé au Mexique le 17 janvier. Joshua Taylor, de la Californie, trente-six ans, sans emploi, arrivé au Mexique le 17 janvier. Il cherchait du travail sur des chantiers de fouille archéologique.

— Le même jour que l'autre Américain, donc.

Monsieur Banville s'est contenté d'acquiescer avant de poursuivre.

— Tout est là! Vous y trouverez les dossiers et les photos des disparus.

Il nous a ensuite remis une valise en cuir. Elle contenait les effets personnels de l'archéologue Hélène Delormier.

— Peut-être que cela vous aidera. La police locale n'a rien trouvé qui sortait de l'ordinaire, mais on ne sait jamais.

— Selon mes sources, le père d'Hélène Delormier lui aurait laissé un héritage de plus d'un million de dollars. Croyez-vous à la possibilité d'une demande de rançon? a questionné mon père.

— Cela semble possible dans son cas, a répondu monsieur Banville, mais pas pour les autres. Le jeune Américain Donovan Walsh est pauvre comme Job. Il est orphelin, donc il n'a pas d'oncle ou de tante riche pouvant payer une rançon. L'Allemand et l'autre Américain n'ont pas de fortune personnelle.

— Quelles sont les hypothèses des enquêteurs mexicains?

— Ils n'en ont aucune pour l'instant, a déclaré l'attaché politique en s'approchant de mon père. Mais si vous voulez mon avis, ils ne veulent pas vraiment s'occuper de cette affaire, a-t-il ajouté à voix basse.

— Ah bon! Et pour quelle raison?

L'homme a haussé les épaules.

— Je ne sais pas. Enlèvements, scandale politique, corruption de la police, les possibilités sont nombreuses. Alors, soyez prudents.

Ce soir-là, nous avons réservé une chambre à l'hôtel El Albatros. Je mourais d'impatience de voir le contenu de la valise.

— Une carte touristique de la péninsule du Yucatan, des vêtements, des vêtements et encore des vêtements, a énuméré mon père en renversant la valise au pied du lit.

Il semblait déçu de ne pas avoir trouvé un papyrus aux contours calcinés avec, encerclé en rouge, l'endroit où l'archéologue comptait se rendre tout juste avant sa disparition.

C'eût été trop simple, mon cher Watson !

Après une inspection méticuleuse, j'ai bien vu qu'il avait raison. Outre un dépliant incitant les touristes à faire une merveilleuse croisière dans le golfe du Mexique sur le voilier *El Diablo Azul,* la valise d'Hélène Delormier ne contenait bel et bien que des vêtements et une carte touristique.

— Il va falloir s'y prendre autrement, m'a dit mon père.

Il avait déjà commencé à afficher les photos des personnes disparues sur l'un des murs de la chambre.

— Quatre personnes portées disparues en moins d'un mois, répétait-il. Il doit bien y avoir un lien entre chacune d'elles, mis à part leur passion pour l'archéologie !

Le lendemain matin, debout avant le lever du soleil, soit plusieurs heures avant mon père, j'ai décidé de me rendre dans le centre-ville de Puerto Juarez.

Mon indispensable mini-dictionnaire Berlitz français-espagnol en main, j'ai commencé à explorer les lieux. J'ai passé toute la matinée à questionner les gens que je croisais sur mon chemin. Je demandais à tout le monde où je pouvais trouver un site archéologique autre que ceux archi-connus de Chichen Itza ou de Tulum, et que dalle ! *¡Nada! Nothing!* Rien !

Ce n'est qu'une fois rendu au kiosque d'information touristique que j'ai obtenu un résultat.

— Ah oui, bien sûr ! m'a répondu la préposée dans un français tout à fait correct. J'ai ici quelque chose qui pourrait vous intéresser.

Elle m'a parlé d'une croisière qui partait de la marina de Puerto Aventuras. Elle la recommandait à tous ceux qui souhaitaient visiter de nouveaux sites mayas.

— *El Diablo Azul*, un très beau voilier, m'a-t-elle précisé.

C'est à ce moment qu'il s'est produit un déclic dans ma tête. Le dépliant! *El Diablo Azul...* la croisière du Diable bleu. C'était bien ça! Hélène Delormier s'était sûrement procuré ce dépliant ici avant de le glisser dans sa valise en cuir... et de disparaître mystérieusement.

— C'est bien mince comme piste, a objecté mon père lorsque je lui ai fait part de ma découverte.

— N'empêche, ai-je rétorqué, c'est la seule que nous ayons. Il faut absolument nous rendre à Puerto Aventuras. De toute façon, nous avons rendez-vous avec un certain monsieur Morales, à Cabo Catoche. C'est sur notre route.

— D'accord, a cédé mon père. C'est la première chose que nous ferons demain matin.

Il s'appelait Jesus, Jesus Morales. Selon monsieur Delisle, le patron de mon père, Jesus était l'Inspecteur Gadget de la région. Monsieur Delisle avait eu recours à ses services dans une enquête précédente.

L'homme en question habitait Cabo Catoche, un village situé à une cinquantaine de kilomètres de Cancun, au sud-est du Mexique.

Assis dans notre voiture de location, perdus dans les profondeurs de la jungle, mon père et moi étions tout en sueur tellement il faisait chaud. Pas moins d'une heure plus tard, nous arrivions enfin à destination.

La maison de Jesus Morales n'était pas des plus impressionnantes. On aurait dit une hutte abandonnée. Les branchages, la paille et la terre utilisés pour la construire semblaient prêts à s'effondrer au sol. Par contre, le site offrait une vue imprenable sur le golfe du Mexique. L'homme vivait seul au milieu de la vallée anciennement traversée par une rivière.

— ¡Bienvenido! ¡Mucho gusto! nous a dit Jesus Morales en nous accueillant chez lui. Ça voulait dire «Bienvenue! Enchanté!» Heureusement, Jesus parlait l'anglais. Disons qu'il le baragouinait.

À l'intérieur, je me serais cru dans un bureau du FBI ou de la CIA. Jesus collectionnait tous les gadgets possibles et imaginables: lunettes de vision nocturne, crayons HB dynamite (il suffisait de planter le crayon, de tourner la gomme à effacer et une dizaine de secondes plus tard... kabooooum!), montres bioniques (le mot bionique est de mise: même le ronflement de mon père ne peut rivaliser avec la sonnerie de cette montre) et canettes de boisson gazeuse acidifiée (quelques gouttes de cette solution sur du métal faisaient fondre celui-ci en moins de cinq secondes).

Nous avons acheté une de ces canettes de boisson gazeuse, trois crayons HB, une paire de lunettes de vision nocturne et la montre bionique.

Nous nous sommes également procuré le matériel nécessaire pour une expédition dans la jungle: une boussole, une paire d'émetteurs-récepteurs radio, une lampe de poche, des jumelles, un couteau suisse, une corde de dix mètres, des allumettes et du poivre de Cayenne pour repousser les grosses araignées poilues, la plus grande phobie de mon père.

Après nous être égarés sur les routes mexicaines pendant plus de cinq longues heures, nous avons enfin pu bénéficier du confort d'une chambre d'hôtel avec vue sur la marina de Puerto Aventuras et un grand voilier nommé *El Diablo Azul*.

Le lendemain matin, nous avons rencontré José, le jeune capitaine du voilier. Il nous a expliqué qu'il devait attendre d'avoir suffisamment de passagers avant de prendre le large. Il nous a promis une croisière de cinq jours qui nous mènerait vers la Isla Xcaret, une île que l'on commençait à peine à explorer, selon lui. D'après la légende, les Mayas y auraient creusé un puits de plus de quinze mètres de profondeur dans lequel ils auraient jeté des pierres précieuses, des armes et de la poterie afin de remercier leurs nombreux dieux, dont ceux de la pluie, du Soleil, de la Terre et du vent, de tous leurs bienfaits. Ce site historique était pratiquement à l'état vierge, nous a-t-il assuré.

— *¡Mañana!* (Demain!) a-t-il insisté. Revenez me voir demain matin. À huit heures. D'ici là, j'aurai assez de passagers.

3

La croisière
du *Diablo Azul*

Des cinq passagers, tous des Américains, qui allaient nous accompagner à bord du *Diablo Azul*, trois d'entre eux sont arrivés avec plus d'une demi-heure de retard. Pendant ce temps, mon père et moi avons fait la conversation à un couple de New-Yorkais qui s'entêtaient à débattre des nombreux avantages qu'il y a à indiquer la température en Fahrenheit plutôt qu'en degrés Celsius.

À l'arrivée des autres Américains, j'ai vite compris que mon calvaire ne faisait que commencer. D'une longue limousine noire sont sortis trois jeunes hommes un peu plus âgés que moi.

Le premier, un grand échalas de dix-sept ans, se targuait d'être le fils du maire d'une grande ville américaine. Les deux autres, des frères jumeaux de seize ans à la tête blonde, prétendaient être les prochaines étoiles du tennis masculin.

Le fils du maire s'appelait Jonathan McDermitt (un prénom qui lui allait à merveille), et les jumeaux, Steve et Stephen Johnson.

— André Agassi, Pete Sampras, Eugevny Kafelnikov... c'est du passé tout ça! s'exclamaient sans gêne les deux jumeaux. Dorénavant, il faudra faire place aux frères Johnson.

Une fois en mer, après nous avoir vanté leurs talents de joueurs de tennis, les jumeaux nous ont expliqué qu'ils faisaient la même chose toutes les semaines de relâche: se faire bronzer au soleil sur les plus belles plages. Cette fois-ci, ils avaient choisi de venir au Mexique en compagnie de leur copain.

Je commençais à avoir hâte d'arriver à bon port, surtout en écoutant Jonathan McDermitt, monsieur le futur président des

États-Unis, nous dire que oui! il était le fils du maire de Los Angeles et que oui! lui aussi aspirait à se lancer en politique. Quel prétentieux! Il était à peine plus vieux que moi.

— Et vous? a-t-il lancé ensuite. Comment se fait-il que vous parliez si bien l'anglais?

Sans préciser que nous venions de l'Outaouais, région où le bilinguisme est fort répandu, je lui ai appris que nous, les Québécois, parlions plus d'une langue afin d'être polyvalents et de pouvoir nous débrouiller partout dans le monde.

— Qu'est-ce que vous faites au Mexique?

— Nous sommes photographes! me suis-je contenté de lui répondre en jetant un coup d'œil sur mon père. Ce dernier était blanc comme un drap, aux prises avec de terribles nausées.

— Eh bien, tenez-vous prêts! m'a dit McDermitt en tentant de dissimuler son fou rire. Paraît-il qu'on va en voir de toutes les couleurs.

Environ dix heures plus tard, nous avons finalement accosté sur la plage de sable blanc de la Isla Xcaret.

Je croyais me retrouver au milieu d'un jardin de fleurs exotiques où se baladent de jolis petits caméléons et des salamandres inoffensives aux sons d'agréables sifflements d'oiseaux multicolores. À la place, nous avons abouti dans une jungle dense où d'étranges cris de singes et des rugissements d'animaux sauvages se faisaient entendre. De plus, le ciel menaçait de nous tomber sur la tête d'une minute à l'autre.

Il n'était que dix-huit heures, pourtant il faisait déjà noir. Nous en avons profité pour nous asseoir autour d'un feu et écouter José, le capitaine du *Diablo Azul*, nous raconter quelques histoires à propos des Mayas. J'ai appris que ces derniers croyaient que le monde avait été créé et détruit à trois reprises et qu'une nouvelle fin du monde approchait! Le 12 décembre 2012, pour être plus précis. En raison de la colère du dieu du Soleil, Nanahuatzin, la Terre allait être détruite par de terribles vagues de chaleur transformant mers et océans en déserts.

McDermitt s'est permis d'interrompre José, qui commençait à se laisser emporter par ses histoires.

— Ils étaient complètement fous, ces Mayas, a-t-il conclu.

— Ils n'étaient pas fous, a répliqué José. Ils ont établi leur propre calendrier afin de connaître le temps idéal pour l'agriculture en basse saison. Un calendrier d'une précision incroyable.

Intrigués, Neil et Pamela Roberts, le couple de New York, lui ont demandé de quelle façon les Mayas avaient pu transporter ces énormes pierres afin de construire leurs temples.

— Personne ne le sait, leur a répondu le capitaine. Ce qu'ils ont accompli est presque miraculeux. Certaines personnes croient qu'ils venaient d'une autre planète. Des extraterrestres!

Une fois couché dans notre tente, raide comme une barre de fer et armé du couteau suisse ainsi que du poivre de Cayenne, mon père a décidé à mon grand désarroi de calmer sa peur des étendues sauvages en fredonnant une vieille chanson de Céline Dion, «Une colombe est partie en voyage», à la Elvis Gratton. Heureusement, l'effet des nombreuses pilules anti-nausée qu'il avait avalées s'est fait ressentir et nous avons enfin, Dieu merci, pu nous endormir.

Au cours de la nuit, j'ai rêvé que j'essayais d'échapper à la tribu de Jonathan McDermitt. Frustré de m'avoir entendu rire de ses ambitions professionnelles, il avait ordonné à ses fidèles de me pourchasser. Je courais dans la jungle à la recherche des autres passagers, tentant désespérément de semer mes assaillants. Elvis Gratton m'est apparu avec sa guitare en peluche, entouré d'une centaine de colombes qui jacassaient dans le ciel. Soudain, tout le monde s'est mis à chanter en chœur: Elvis, les colombes, mon père, Neil et Pamela Roberts de même que les frères Johnson et Johnson. Ils répétaient tous le même refrain: «*Wake up! Wake up, Maxime!*»

Je me suis levé d'un coup sec. Ils étaient bel et bien tous autour de moi, à l'exception d'Elvis et des colombes, bien sûr.

— Réveille-toi, Maxime! disaient leurs voix.

Que se passait-il? Pourquoi cette panique?

— Le capitaine du bateau, José! Il a disparu, hurla mon père. Cette nuit. Pendant la tempête! Il a pris le large avec son voilier.

Était-ce ainsi que l'archéologue Hélène Delormier et les autres personnes avaient disparu? Avions-nous tous été victimes d'un complot machiavélique?

Notre enquête venait subitement de se transformer en mission de survie dans la jungle.

4

Perdus sur la Isla Xcaret

«Nous voilà au milieu de nulle part, avec rien à manger et en plus, personne ne sait où nous sommes!» s'est écrié Stephen Johnson, affolé.

— Calme-toi! lui a dit McDermitt. Tu oublies qui je suis. Ce n'est qu'une question de temps avant qu'on vienne à notre secours. Mon père enverra une dizaine d'hélicoptères s'il le faut.

— Ton père croit que nous sommes à Cancun. Ils peuvent mettre des semaines, voire des mois avant de nous retrouver, a rétorqué l'autre frère Johnson.

— Ne sois pas si dramatique! Nous n'avons qu'à allumer un feu sur le bord de la plage et à monter la garde jusqu'à ce que les secours arrivent.

Il avait raison! Dans une situation pareille, il ne fallait pas paniquer. Je me doutais toutefois que les choses ne seraient pas aussi simples. Si Hélène Delormier et les autres s'étaient bien retrouvés sur cette île, pourquoi n'étaient-ils pas dans les parages, attendant de l'aide?

Toute cette histoire me paraissait louche: les témoins à l'hôtel El Albatros, le dépliant dans la valise en cuir de l'archéologue, la croisière du *Diablo Azul* proposée au kiosque d'information touristique. C'était trop simple! Avec de tels indices, la police locale aurait dû clore l'affaire en un rien de temps.

Voyant que mon père et les Roberts ne revenaient toujours pas de leur promenade (ils espéraient trouver de quoi manger), les frères Johnson se sont mis à angoisser de plus belle.

— Nous n'avons rien pour chasser ni pour pêcher. Comment allons-nous survivre? a demandé l'un d'eux.

— Ne t'inquiète pas, Stephen, lui a répondu McDermitt. La solution est simple: nous allons attendre que tu meurs de faim, ensuite, nous pourrons te manger tout cru.

Stephen Johnson commençait à le trouver un peu moins drôle, son cher petit copain. Il a cependant retrouvé le sourire en voyant mon père et les Roberts se diriger vers nous avec une vingtaine de bananes et quelques noix de coco.

— Doucement! a lancé Neil Roberts en voyant les jeunes Américains s'en donner à cœur joie dans le tas de fruits.

Nous avons tous ignoré son commentaire. Je crois que de toute ma vie, je n'ai jamais tant aimé me régaler de fruits frais.

Plus tard, j'ai rejoint mon père afin de discuter de la situation. Le temps pressait: il fallait retrouver Hélène Delormier et les autres disparus. Ils étaient aussi sur l'île; de cela, nous en étions certains.

Lorsque nous avons fait part de notre stratégie au reste du groupe, personne ne voulait admettre que nous n'étions probablement pas les premières victimes du capitaine du *Diablo Azul*.

— Il faut former deux groupes, a indiqué mon père. Un groupe restera ici et l'autre groupe ratissera l'île.

Évidemment, Neil Roberts n'a pu s'empêcher de prendre la parole.

— Votre idée est absurde! Il faut rester ensemble. Le contraire serait trop risqué. Il faut rester sur la plage, là où on peut nous voir.

— Nous ne sommes pas seuls sur cette île, a répliqué mon père. La vie de plusieurs personnes pourrait être en danger.

— Qu'est-ce qui vous dit que nous ne sommes pas seuls? Vous n'êtes qu'un photographe, que je sache, a protesté monsieur Roberts.

Avec flegme, mon père lui a répondu qu'il se fiait à son instinct de journaliste. «J'ai vingt-cinq ans de métier, vous savez», a-t-il précisé.

Ah! Ah! J'ai pu constater que le poker a fait de lui un excellent menteur.

Après quelques minutes de débat plutôt corsé, monsieur Roberts a accepté que nous nous séparions en deux groupes. Les champions de tennis masculin allaient rester sur la plage avec les Roberts. McDermitt, mon père et moi allions partir à la recherche des personnes disparues.

J'ai remis aux frères Johnson un de mes trois crayons HB afin qu'ils puissent nous aviser en cas d'urgence. Intrigués, ils voulaient savoir ce qu'un jeune comme moi pouvait bien faire avec un tel gadget. Je leur ai répondu ce que tout bon agent de la CIA ou du FBI doit répondre dans une telle situation: «On ne vous divulguera que les renseignements strictement indispensables et, à l'heure actuelle, il n'est pas indispensable que l'on vous renseigne.»

Évidemment, ils n'ont rien compris à mon explication et c'est aussi bien. Moins il y a de questions, moins il y a d'inquiétudes!

En fin de soirée, Neil Roberts nous a conseillé de nous coucher sans tarder, car une dure et longue journée nous attendait le lendemain. Je pouvais déjà m'imaginer le pire: une température de quarante-cinq degrés Celsius (disons cent treize en degrés Fahrenheit pour les Roberts), mon père sautant en l'air après avoir vu une bestiole légèrement plus grosse qu'un ver de terre, ou bien le comble: le «sénateur» McDermitt nous décrivant en long et en large sa future campagne électorale.

«Le paradis!» disait le dépliant. Cinq merveilleuses journées d'excursion dans le golfe du Mexique.

Le lendemain matin, à peine une heure après le lever du soleil, j'ai compris que j'étais peut-être un prophète de malheur. Nous venions de quitter les lieux et déjà, la température frôlait les quarante degrés Celsius et Jonathan McDermitt nous parlait de ses «stratégies». Il croyait avoir trouvé la solution pour sauver les autres disparus.

— C'est simple, expliquait-il, nous n'avons qu'à trouver les «méchants», à leur offrir assez d'argent pour qu'ils nous laissent tous tranquilles, et ensuite nous rentrons au bercail.

Et moi qui croyais que ce serait compliqué. Il ne cesserait jamais de m'étonner, celui-là.

À notre pause-banane (nous n'avions encore rien trouvé d'autre à manger), McDermitt s'est allumé une cigarette. Beurk!

Qu'est-ce que les jeunes ne feraient pas pour se sentir «cool»! Dire que ce sont les actionnaires de ces multinationales qui en profitent. Venez, venez tous! Voyez le nouveau produit que nous avons mis sur le marché. Essayez-le! Nous vous promettons que vous allez avoir les doigts jaunes, une haleine de cheval et les cheveux qui puent. Si vous en consommez suffisamment, vous aurez peut-être même le plaisir de vous cracher les poumons ou bien de mourir d'un cancer... Tout ça pour la somme de sept dollars canadiens le paquet. Venez, venez en grand nombre et courez la chance de devenir un héros en mourant jeune!

De son côté, mon père ne semblait plus s'en faire. Il s'est plutôt contenté de montrer du doigt une énorme montagne.

— Essayons de coucher au sommet ce soir, a-t-il proposé.

Il espérait avoir une vue panoramique de l'île et, qui sait, peut-être même localiser le refuge des malfaiteurs qui auraient kidnappé l'archéologue Hélène Delormier et les autres personnes.

Six bananes et deux cigarettes plus tard, nous avons entrepris une ambitieuse randonnée pédestre que j'ai surnommée «la montée de la mort» pour plusieurs raisons. D'abord, j'ai songé plus d'une fois à étriper McDermitt. Épuisé, il s'entêtait à s'agripper à mon sac à dos (les tentes, les matelas bleus, les sacs de couchage... pas de problème, mais lui, pas question!). Ensuite, mon père a presque eu besoin que je lui donne la respiration artificielle en voyant un serpent à sonnette. Sans blague, le pauvre petit crotale a eu tellement peur qu'en deux temps, trois mouvements, il s'est retrouvé à une vingtaine de pieds de nous. Eh oui, papa, c'est la jungle ici! Oublie les écureuils, les marmottes et les petits chevreuils et dis bonjour aux serpents à sonnette, aux boas, aux iguanes, aux panthères, aux singes hurleurs noirs et à d'autres semblants d'orangs-outans.

Pour couronner le tout et pour une raison que j'ignore, plus nous montions, plus il faisait chaud. Ce n'est qu'une fois parvenus au sommet, à la nuit tombée, que nous avons pu profiter d'une brise fraîche.

Armé de ma lampe de poche, je me suis mis à explorer les environs afin de m'assurer que nous n'étions pas en présence d'une bête mexicaine réticente à partager sa cache. C'est alors que j'ai aperçu, abandonnée au milieu de nulle part, ce qui semblait être une petite hutte.

— Venez! ai-je crié en pointant ma lampe de poche en direction de la hutte.

En m'approchant, j'ai vite compris qu'elle n'était guère plus solide que celle de Jesus Morales.

Après l'avoir contournée à quelques reprises, j'ai cru percevoir du mouvement à l'intérieur.

— Qu'est-ce que c'est? a murmuré mon père.

Je lui ai fait signe de se taire, puis, le plus lentement possible, j'ai sorti les lunettes de vision nocturne de mon sac à dos. S'il y avait quelqu'un à l'intérieur, je ne voulais pas être le dernier à le savoir.

Bien que tout me soit apparu vert fluo, j'ai pu constater que nous avions vu juste: il y avait du mouvement à l'intérieur de la hutte.

— Ne t'inquiète pas, ai-je dit à McDermitt en le voyant se cacher derrière moi. Ce n'est qu'un petit singe.

Nous sommes entrés dans la hutte. Nous avons conclu qu'il s'agissait probablement du refuge d'un archéologue. Des cartes géographiques et des manuscrits à propos de la Isla Xcaret et de la légende des Mayas du Yucatan traînaient partout sur le sol.

— Ici! nous a signalé McDermitt. Il fouillait dans un panier en osier reposant à côté d'un vieux hamac accroché aux deux extrémités de la pièce. De la nourriture!

Enfin, nous allions pouvoir manger autre chose que des bananes. Malheureusement, il n'y avait que des pots de piments forts.

— Au moins, l'un d'entre nous va bien dormir cette nuit, a dit mon père en désignant le hamac.

Étant donné qu'il était déjà confortablement installé dedans, McDermitt et moi savions que nous n'allions pas tirer à la courte paille. Nous nous sommes plutôt contentés de poursuivre notre fouille.

— Regardez! me suis-je exclamé en ouvrant un des cahiers manuscrits.

Quelqu'un y avait dissimulé quelques pages d'un journal, rédigées en français par Ralph Knaupp, l'archéologue allemand porté disparu depuis plus de deux mois.

— Écoutez ça, ai-je dit à mes deux compagnons.

Déjà, mon père n'était plus dans son hamac, mais debout derrière moi, intrigué par ma trouvaille.

Abandonné sur cette île pour Dieu sait quelle raison, j'ai décidé de poursuivre mes recherches dans l'espoir de trouver ce fameux puits maya dont tout le monde parlait.

J'ai plutôt découvert les traces d'un peuple qui, encore à ce jour, pratique d'étranges rituels... ou était-ce tout simplement un groupe d'hommes s'adonnant à des activités criminelles?

Après que mon père eut traduit cette dernière phrase, McDermitt a commencé à s'affoler et à délirer. Il parlait d'hélicoptères et de téléportation!

— Continue, Maxime! m'a dit mon père. Lis la suite.

Leurs victimes, des gens qui, comme moi, ont été kidnappés et abandonnés sur cette île, sont emprisonnées au fond du puits... Pourquoi? S'agit-il de pressions politiques ou d'une simple offrande à leurs dieux afin de s'assurer que, jour et nuit, Soleil et Lune continuent à briller dans le ciel?

Demain, je retournerai au pied des chutes afin de tenter de les libérer...

Au pied des chutes? Était-ce là que se trouvaient les bandits, Hélène Delormier et les autres disparus? Était-ce possible que le capitaine de la croisière du *Diablo Azul* travaille pour eux, se faisant payer pour enlever des gens?

5

L'enlèvement

Jamais je n'avais vu mon père aussi angoissé. Il savait que les Roberts et les frères Johnson étaient en danger. Nous le savions tous les trois. Un bruit d'explosion s'était fait entendre peu de temps après que nous eûmes trouvé le journal de Ralph Knaupp. C'était sans doute les frères Johnson qui avaient activé le crayon dynamite HB. Nous craignions pour leur vie.

Puisque c'était moi qui avais la lampe de poche, mon père et McDermitt me suivaient de très près. Bouleversés par l'idée que nos compagnons puissent être les prochaines victimes de ces Mayas du XXIe siècle, nous avons redescendu la «montée de la mort» en un cinquième du temps que nous avions mis pour en faire l'ascension. Inutile de dire que nous n'avons pas pris de pause-banane.

Après une descente infernale, nous sommes arrivés à la plage.

Les frères Johnson, en proie à l'affolement, tentaient de nous expliquer ce qui s'était passé.

— Monsieur et madame Roberts… ils les ont enlevés!

— Calmez-vous, leur a dit mon père. Qui les a enlevés?

— Des hommes, des Mexicains. Ils sont arrivés pendant que nous n'étions pas là. Stephen voulait aller au petit coin. Comme il est un peu peureux, j'ai dû l'accompagner.

— Il faisait noir, a cru bon de préciser l'autre frère.

— C'est à notre retour que nous les avons aperçus.

— Pris de panique, nous sommes restés cachés dans la jungle, a poursuivi Stephen.

— Ils ont alors sauté sur les Roberts et ont disparu en les emmenant avec eux, a conclu Steve Johnson.

Dès le lendemain matin, cartes de la Isla Xcaret en main, nous cherchions la rivière. L'Allemand avait parlé de chutes d'eau. Elles devaient bien figurer sur une de ces cartes.

— Les voici ! s'est écrié McDermitt. Regardez, au bout de la rivière Xcaret. Juste ici, a-t-il indiqué du doigt.

Il avait vu juste. La rivière se trouvait du côté nord de la «montée de la mort». Nous allions devoir recommencer notre randonnée pédestre.

— Ça ne serait pas plus facile de la contourner ? a demandé un des frères Johnson en voyant à quel point la pente était à pic.

De quoi se plaignait-il ? Son frère et lui n'étaient-ils pas, en tant que champions de tennis, des athlètes accomplis ?

— Un peu de patience, a répondu mon père. Ce n'est pas le temps de se perdre sur cette île.

Il espérait qu'il fasse toujours clair à notre arrivée au sommet de la montagne, de façon à pouvoir apercevoir la rivière Xcaret et peut-être même les chutes.

Pendant que notre trio d'Américains s'était arrêté pour fumer une cigarette, mon père et moi grimpions vers le sommet de la montagne sans prononcer un seul mot. La chaleur caniculaire rendait l'ascension des plus pénibles. Papa s'était mis un bandeau sur le front afin d'absorber une partie de la sueur qui lui dégoulinait de partout.

— Ça va? lui ai-je finalement demandé.

Il s'est contenté de hocher la tête. Il avait la mine basse. Il se reprochait de m'avoir entraîné dans cette histoire. Je l'ai rassuré en lui disant que les frères Johnson auraient pu être des triplés. Il a aussitôt retrouvé le sourire.

— Voilà un argument irréfutable, fiston, m'a-t-il dit tout en me faisant un clin d'œil.

Peu de temps avant le coucher du soleil, les trois garçons, morts de fatigue, nous ont rejoints au sommet de la montagne.

— Est-ce la rivière Xcaret? a demandé un des frères Johnson en voyant que nous scrutions les alentours avec nos jumelles.

Mon père a acquiescé.

— Nous partirons demain matin, nous a-t-il annoncé.

Pour me consoler, McDermitt m'a dit de ne pas m'inquiéter. Bientôt, l'armée américaine viendrait à notre rescousse. Le pauvre! Il pensait que, tout comme dans les films d'Hollywood, les troupes de l'oncle Sam, avec en vedette Tom Cruise jouant le rôle d'un pilote de l'air, allaient éliminer les «méchants» de la Isla Xcaret et sauver les Roberts et les autres disparus. Il ne faut quand même pas rêver, mon cher Spielberg!

Ne voulant pas crever sa bulle d'illusion, je lui ai plutôt demandé pourquoi il avait choisi de passer ses vacances au Mexique. Il m'a expliqué que son oncle était propriétaire de la Sampson Oil, une compagnie pétrolière récemment installée dans la péninsule du Yucatan. Sa famille faisait la navette entre Los Angeles et Cancun environ six fois par année afin de rendre visite à l'oncle Peter, qui habitait une splendide demeure au bord de l'océan.

Pour ce qui est des frères Johnson, il les avait rencontrés dans un collège privé de Beverly Hills, en Californie.

— Joues-tu au tennis, toi aussi? lui ai-je demandé en voyant Johnson et Johnson revenir de leur quatrième balade nocturne. Les deux jeunes hommes avaient le teint plutôt pâle. La *tourista*, probablement.

McDermitt m'a fait signe que non.

— Les frères Johnson ne sont pas si bons au tennis qu'ils le laissent croire, m'a confié McDermitt.

Il m'a raconté que leur riche papa leur avait payé des leçons avec certains joueurs du circuit professionnel. Ces derniers les avaient laissés gagner quelques parties afin de les encourager.

— En réalité, ils sont un peu pleurni-chards, a-t-il poursuivi.

Pleurnichards, les frères Johnson? Quelle surprise!

Profitant de ce moment de confidence, McDermitt m'a pressé de lui dire la vérité sur mon père et sur moi.

— Vous n'êtes pas vraiment des photo-graphes, n'est-ce pas?

J'ai fait signe que non.

— Nous travaillons en collaboration avec l'ambassade française du Mexique, lui ai-je avoué. Nous sommes détectives privés!

— C'est pour ça que vous avez tous ces gadgets!

Je me suis contenté d'acquiescer.

— Allons nous coucher, ai-je dit pour couper court à la conversation. Demain, nous partirons à la recherche des disparus.

6

Du tapir au menu

Après avoir avalé un mélange de noix de coco, de bananes et de piments forts, de loin le meilleur des quatre petits déjeuners que nous ayons pris sur la Isla Xcaret, mon père a tracé un plan sur le sol. Pour un homme qui a généralement besoin de son café avant de pouvoir prendre la décision de s'habiller, il était drôlement en contrôle de la situation.

Je ne l'avais jamais vu aussi calme. Même sa peur des serpents avait disparu. Ses indications étaient claires. Il nous fallait suivre le courant. La rivière nous mènerait aux chutes.

— L'important, c'est que vous restiez derrière moi, nous a-t-il ordonné. En tout temps.

Nous avons marché pendant près de trois heures avant d'arriver à la rivière. À part les cris des singes, la jungle était tout à fait paisible. L'heure était venue de faire une petite sieste.

Au réveil, frais et dispos, nous attendions le retour de mon père. Il était parti depuis près d'une heure et il nous avait dit qu'il reviendrait dans quelques minutes.

— Qu'est-ce qu'il fait, ton père? m'a demandé Stephen Johnson. Je croyais qu'il allait simplement se rafraîchir à la rivière.

Je lui ai répondu qu'il ne tarderait pas. Il n'était pas du genre à partir en expédition sans nous avertir.

— *Cric... Cric...* Maxime à Jacques, ai-je appelé en approchant mon émetteur-récepteur radio de ma bouche. *Cric... Cric...* Papa, es-tu à l'écoute? ai-je répété à plusieurs reprises.

Il ne répondait pas.

— Restez ici, ai-je dit aux Américains. Je vais aller faire un tour à la rivière.

McDermitt et les jumeaux ont insisté pour m'accompagner.

— Ton père nous a recommandé de ne pas nous séparer, a plaidé McDermitt.

Nous sommes donc tous partis ensemble. En arrivant au bord de l'eau, nous nous sommes vite rendu compte que mon père n'y était pas.

Au loin, par-dessus le bruit de la rivière, nous pouvions percevoir un son strident. C'était la montre bionique que j'avais prêtée à mon père. La sonnerie était si forte qu'elle résonnait à des kilomètres à la ronde.

— Là-bas! ai-je crié en pointant mon index en direction de la provenance du son. Vite! Suivez-moi!

Affrontant encore une fois une chaleur torride, nous avons longé la rivière à toute allure pendant une dizaine de minutes avant de retrouver la montre de Jesus Morales. Mon père avait probablement réglé la sonnerie afin de me prévenir. Il y avait du sang sur le bracelet et le verre était fracassé. Tout juste à côté de lui, nous avons retrouvé son émetteur-récepteur radio. J'en étais maintenant certain: mon père aussi était en danger.

Tentant de suivre les nombreuses empreintes de chaussures et de bottes marquant le sol, nous nous sommes mis à la recherche de mon père. Malheureusement, ce ne fut qu'une question de temps avant que nous nous perdions. Nous n'entendions même plus la rivière. Bien sûr, en apprenant que c'était mon père qui avait la boussole, les champions de tennis se sont mis à se lamenter.

— Calmez-vous. Nous ne sommes pas perdus, ai-je menti pour les rassurer. Il faut rester braves et concentrer nos efforts afin de retrouver mon père et les autres prisonniers de cette île infernale.

Sans boussole, nous n'avions plus qu'à ajuster notre parcours en fonction de la position du soleil. J'ai toutefois dû apprendre aux Américains que le soleil se levait à l'est, poursuivait sa trajectoire au sud et se couchait à l'ouest, et ce, tous les jours. Étant donné qu'il était à peu près midi, il suffisait d'avancer avec le soleil dans le dos.

Suivant mes directives, nous avons marché pendant plus de trois heures. Je m'inquiétais pour mon père, mais je ne devais surtout pas le montrer.

— Les jumelles! m'a crié McDermitt. Passe-moi les jumelles. On dirait un bâtiment.

En regardant à mon tour dans les jumelles, j'ai vu qu'il avait raison. Devant nous se trouvait un bâtiment qui ressemblait plutôt à une énorme hutte. Toutefois, celui-ci n'avait pas l'air abandonné.

Il fallait être prudents. Il y avait peut-être quelqu'un à l'intérieur. Les prisonniers de la Isla Xcaret? J'ai aussitôt fait signe à mes compagnons de me suivre. Lentement et en nous penchant pour ne pas nous faire repérer, nous nous sommes approchés des lieux.

Les frères Johnson étaient plus nerveux que jamais. Ils refusaient d'entrer à l'intérieur du bâtiment.

— On vous attend ici, nous ont-ils dit.

McDermitt m'a regardé en haussant les épaules, puis il m'a fait signe de le suivre. Avant de nous approcher, nous avons d'abord contourné le bâtiment à deux reprises. Il semblait n'y avoir personne à l'intérieur.

Nous nous sommes alors dirigés vers la porte d'entrée et avons attendu quelques instants avant d'ouvrir.

— *Anybody here?* (Il y a quelqu'un?) a demandé McDermitt en scrutant rapidement les lieux. À part une grande table et quelques chaises, la pièce principale était pratiquement vide.

— Jette un coup d'œil par ici, lui ai-je dit.

Sur la table, dans un cendrier, reposait un cigare qui semblait avoir été allumé il n'y avait pas si longtemps. À côté, il y avait une bouteille de tequila et deux boîtes de carton.

— Est-ce qu'il y a quelque chose à manger? ont demandé les deux frères en se pointant dans l'embrasure de la porte.

— Cigares et tequila, leur a répondu McDermitt.

Il plaisantait, mais il semble que nos deux froussards l'ont pris au sérieux, insistant pour avoir du feu. Je leur ai dit qu'ils pouvaient toujours s'amuser à frotter deux pierres l'une contre l'autre. Je n'allais certes pas gaspiller une allumette pour me faire empester de fumée de cigare.

Les jumeaux ont vite mis leurs frustrations de côté en découvrant ce qu'il y avait à l'intérieur des deux boîtes de carton: deux douzaines de dossiers confidentiels, y compris ceux que nous avait remis l'attaché politique de l'ambassade de France. Les autres contenaient de l'information sur la famille Roberts, les frères Johnson, Jonathan McDermitt, de même que Jacques et Maxime Routhier.

En ouvrant le dossier qui nous concernait, mon père et moi, j'ai trouvé plusieurs photos prises sur la terrasse de notre hôtel, à Puerto Aventuras. Des photos de nous deux sous divers angles et à des distances différentes. Sur une des photos en gros plan, on pouvait même distinguer le titre des livres que nous nous étions procurés.

— C'est horrible! s'est exclamé McDermitt en feuilletant divers dossiers. Ils ont des photos de nous tous!

Étrangement, la plupart des photos de Jonathan McDermitt n'avaient pas été prises au Mexique, mais bien à l'extérieur de son collège, à Beverly Hills, ce qui prouvait que ce complot devait avoir été orchestré longtemps à l'avance.

— Depuis combien de temps avez-vous planifié cette croisière sur le *Diablo Azul*? leur ai-je demandé.

— Trois jours, a répondu McDermitt. Avant ça, nous n'avions même jamais entendu parler de la Isla Xcaret.

Ils avaient trouvé le dépliant vantant les mérites de cette croisière dans leur chambre d'hôtel, à Cancun.

En fouillant les autres dossiers, nous avons appris que Pamela Roberts était la fille de Peter Jackson, le célèbre journaliste new-yorkais travaillant pour la chaîne CNN. Pamela et son mari avaient, eux aussi, été photographiés quelques mois plus tôt dans les rues de Manhattan.

— Je ne comprends pas, a continué McDermitt. Pourquoi ces photos? Ton père et toi êtes une menace pour eux, Pamela Roberts et moi sommes de bonnes sources d'attention médiatique. Mais les frères Johnson, qu'ont-ils de particulier?

— Ils accompagnent le fils du maire de Los Angeles et neveu du propriétaire de la Sampson Oil, ai-je expliqué en le pointant. Maintenant, sortons d'ici, ai-je ajouté. Ce n'est qu'une question de temps avant que quelqu'un n'arrive.

Ce soir-là, nous nous sommes installés à une centaine de mètres de la hutte, dans le creux d'un petit ravin. Là, malgré le manque de confort, nous savions que nous risquions moins d'être découverts.

Pendant plus d'une heure, nous avons fouillé dans les dossiers nous concernant. Je devais découvrir qui avait bien pu prendre ces photos et, surtout, pour quelle raison.

Je doutais que la deuxième hypothèse de l'archéologue allemand soit la bonne. Nous ne pouvions pas avoir véritablement affaire à une bande de fous s'amusant à reproduire d'anciens rituels mayas. Les victimes étaient choisies trop méticuleusement pour cela.

Chaque crime a son motif. Quel était celui des malfaiteurs de la Isla Xcaret? Et surtout, comment allions-nous faire pour libérer mon père et les autres prisonniers?

Comme si je n'avais pas déjà assez de tracas, les frères Johnson ont commencé à se plaindre. Ils avaient faim et ils ne voulaient absolument pas manger des piments forts, encore moins des bananes.

Sachant que ses mains étaient trop sensibles pour s'attaquer au dos pointu des iguanes, j'ai prêté mon couteau suisse à Stephen Johnson afin qu'il se taille une lance en bois.

— *All right then, I'll take care of dinner!* (Très bien! Je m'occupe du souper!) a-t-il dit.

Nous avions tous bien hâte de voir le résultat. Ma confiance en lui était telle que j'ai préféré fermer les yeux et croquer dans un piment rouge.

Moins de cinq minutes après son départ, nous pouvions déjà l'entendre appeler à l'aide. Semble-t-il qu'il faisait terriblement noir là où il se trouvait. Notre pauvre petit «Robin des Bois» ne voyait plus rien. Il voulait que nous le rejoignions avec la lampe de poche.

— Je m'en occupe, nous a dit son frère en s'emparant de la lampe de poche et du poivre de Cayenne. Pas plus sûr de se mettre quelque chose sous la dent que moi, McDermitt a pris une petite gorgée du jus de piments forts.

— Crois-tu que ton père va bien? m'a-t-il demandé en se léchant les babines.

— Je suis certain que oui. Sinon, ils auront affaire à moi.

En entendant mes paroles, McDermitt n'a pu s'empêcher de rire.

— Tu es bien confiant pour un jeune de quinze ans.

— Treize, l'ai-je corrigé.

— Treize ans! Tu veux dire qu'en plus d'être perdu, sans boussole, avec une bande de fous sur une île déserte, mes chances de m'en tirer sain et sauf dépendent d'un garçon de treize ans?

Je lui ai répondu qu'à mon avis, il était mieux de dépendre de moi que de certains jumeaux de seize ans. Pas besoin de vous dire qu'il m'a vite donné raison.

Sachant que les jumeaux n'étaient pas du genre à faire flèche de tout bois et que les laisser chasser seuls était le plus sûr moyen de les laisser mourir de faim, McDermitt et moi avons décidé de leur donner un petit coup de main.

— Ils ne peuvent pas être bien loin, a-t-il dit en se levant.

Il semblait s'inquiéter pour eux. Il avait peut-être raison. N'était-ce pas de cette façon que mon père avait disparu?

Bien qu'ils fussent un peu encombrants, je ne tenais pas à me séparer d'eux pour autant. Dorénavant, nous allions devoir rester en groupe.

— Chut, écoute, ai-je murmuré.

Au loin, dans la jungle, nous pouvions entendre quelqu'un courir. Les pas se rapprochaient de nous.

— Je n'aime pas ça. Je n'aime vraiment pas ça! a chuchoté McDermitt.

Il a ensuite cru bon de me confier qu'il n'était pas si brave qu'il en avait l'air. Mince! Je pouvais pratiquement entendre les battements de son cœur. Il avait les larmes aux yeux et il tremblait comme une feuille.

— Tu veux rire, ai-je eu le temps de lui dire avant d'être interrompu par un cri de mort.

On aurait dit quelqu'un qui venait de se faire abattre. C'était Stephen Johnson.

— *Noooooo! Steve, help me!* (Noooon! Steve, aide-moi!) hurlait-il.

Sans hésitation, quoique pas trop rassuré par l'idée de me retrouver au beau milieu d'une bande d'indigènes sauvages brandissant des lances au-dessus de leur tête, je suis parti à la rescousse des frères Johnson.

Étendu par terre, frappant les pieds contre le sol comme pour changer le mal de place, Stephen invectivait son frère qui, accroupi à ses côtés, lui soufflait dans l'œil.

Tout près d'eux gisait un tapir ensanglanté. Le pauvre petit cochon muni d'une trompe avait, lui aussi, les yeux vitreux. Pris de panique, Steve les avait tous deux aspergés de poivre de Cayenne. Stephen ne voyait plus rien.

— Ce que tu peux être idiot, a-t-il lancé à Steve. Qu'est-ce que tu pensais faire avec ton poivre de Cayenne? L'asphyxier à mort, peut-être?

— Je suis désolé.

Encore à moitié pétrifié, McDermitt nous a rejoints. Son pantalon était trempé.

— Ça va, les gars?

— Ça va, lui a répondu Stephen en se frottant les yeux. Qu'est-ce qui t'est arrivé? a-t-il demandé en regardant son pantalon mouillé.

— C'est ma gourde d'eau. Elle était percée.

— Elle devait être pas mal pleine, ta petite gourde, lui a jeté Stephen en riant.

Gêné, McDermitt s'est empressé de changer de sujet.

— Qu'est-ce que c'est?

Il venait d'apercevoir la bête ensanglantée que Stephen traînait derrière lui.

— Un cochon sauvage. Au menu ce soir: rôti de tapir au poivre dans une sauce au piment fort! C'est toi qui cuisines, McDermitt, a précisé Stephen avec son plus beau sourire.

7

Comme un Boeing 747

Nous marchions déjà depuis des heures lorsque Jonathan McDermitt l'a aperçu. Il pêchait, seul, étendu dans son petit bateau à moteur. Les frères Johnson sautaient et s'agitaient les bras pour attirer l'attention du vieux pêcheur mexicain.

— *Over here! ¡Por aquí!* (Par ici!)

C'était peine perdue. Le Mexicain n'entendait rien. Il était beaucoup trop loin.

— *Please, please!* (S'il vous plaît, s'il vous plaît!) a repris Stephen.

Plus que tout au monde, il voulait que le vieux vienne à notre secours.

Je doutais fort qu'un homme de plus de soixante-dix ans puisse nous être utile dans de pareilles circonstances. J'ai tout de même décidé d'utiliser un autre de mes crayons HB afin d'attirer son attention. Après tout, il pourrait peut-être prévenir la police.

— Éloignez-vous, ai-je dit aux autres en plantant mon crayon dans le sol.

Dès qu'ils m'ont vu enlever les quelques branches susceptibles de prendre feu, les Américains se sont aussitôt mis à l'abri. En deux temps, trois mouvements, j'ai activé mon crayon HB en tournant la gomme à effacer, puis je me suis réfugié derrière un énorme palmier.

L'intensité de l'explosion fut telle qu'elle a causé un léger tremblement de terre. Abasourdi, le vieillard a failli tomber en bas de sa barque.

Voyant qu'il regardait dans notre direction, Johnson et Johnson ont recommencé leur manège:

— *¡ Aqui! Over here!* (Par ici!) lui criaient-ils.

Au moment même, le vieillard a déposé sa canne à pêche au fond de sa barque et s'est approché de nous.

— *We are safe and sound!* (Nous sommes sains et saufs!) ont crié les garçons en me sautant dans les bras.

Malheureusement, il m'était impossible de partager leur joie. La vie de mon père et celle de plusieurs autres innocentes victimes étaient toujours en danger.

Le vieil homme s'appelait Javier Fernandez. Il n'en revenait pas. Il fallait avertir la police au plus vite! Le téléphone le plus proche se trouvait à Puerto Aventuras... soit à dix heures de navigation!

— Allez-y! leur ai-je dit. Moi, je reste.

D'où nous étions, nous pouvions voir la rivière. Je n'avais pas le choix. Je devais tenter de secourir mon père et les autres.

Rester était risqué, mais en même temps, dix heures, c'était trop long. Je préférais mettre toutes les chances de mon côté.

— *¡Peligroso! ¡Muy peligroso!* m'a dit le vieux.

Dangereux, oui, oui, je sais. Très dangereux. Il ne voulait pas que je reste, mais je ne pouvais pas abandonner mon père.

— *¡ Vamonos!* (Allons-y !) m'a-t-il dit, insistant pour que je les rejoigne.

— *No gracias.* (Non, merci.) Je reste ici.

J'ai bien dû me répéter une dizaine de fois. Le vieil homme a finalement abandonné. Le petit groupe allait se rendre directement à la marina de Puerto Aventuras et prévenir la police. D'ici vingt-quatre heures, des hélicoptères viendraient nous chercher.

— *Gracias, señor Fernandez* (Merci, monsieur Fernandez), lui ai-je dit. *Muchas gracias.* (Merci beaucoup.)

Quelques minutes plus tard, mes amis, qui se faisaient déjà tout petits au centre d'une mer qui n'en finissait plus, me saluaient de la main.

— *Good luck!* (Bonne chance !) me criaient-ils à tue-tête. *Good luck, Maxime!* (Bonne chance, Maxime !)

Seul au milieu de la jungle, j'allais enfin pouvoir avancer à mon rythme. Fini le pleurnichage, les pauses-cigarettes et la chasse aux iguanes. Dorénavant, j'allais pouvoir me concentrer sur ma mission: secourir les nombreuses personnes en danger sur cette île mystérieuse.

À l'instar d'un champion d'arts martiaux enlevant sa chemise avant d'entreprendre un combat décisif, j'ai déchiré ma camisole afin de me confectionner un bandeau et de me l'enrouler autour de la tête.

J'étais fin prêt à affronter les mystérieux bandits de la Isla Xcaret.

Avec la certitude que mon père était en danger, je me frayais un passage dans les profondeurs de la jungle, cherchant désespérément le plus court chemin menant au refuge des malfaiteurs. Ma détermination était à toute épreuve. Coûte que coûte, j'allais retrouver papa et le sortir de cette impasse.

Ce n'est qu'au crépuscule, après cinq heures à longer la rivière en m'assurant de ne pas me faire voir par quiconque, que je suis enfin arrivé au fameux cul-de-sac. Les chutes Xcaret !

Le soleil n'était pas encore tout à fait couché. Jumelles en main, j'ai vite pu confirmer les écrits de Ralph Knaupp : j'ai aperçu, tout en bas des chutes, ce qui semblait être un puits énorme (quoique moins impressionnant que je l'avais imaginé), un tas de petits campements, les traditionnelles huttes du Mexique et une vingtaine de Mexicains. Je ne les voyais pas, mais j'imaginais qu'il y avait peut-être autant de prisonniers.

À mes côtés, tel un voile de mariée, l'eau des chutes jaillissait d'une hauteur d'environ cent mètres. Il m'était impossible de sauter d'aussi haut. J'allais sûrement devoir m'adonner à quelques heures de descente rocambolesque.

À moins que... De l'autre côté de la rivière, il semblait y avoir un petit sentier menant au pied des chutes. Comment faire pour m'y rendre ? Une petite baignade en rivière, peut-être? Pas question! Le courant était beaucoup trop puissant. Il y avait bien un tronc de travers tout près, mais je n'étais pas assez habile pour tenter une telle traversée. J'ai vite compris que je n'avais pas d'autre choix. J'allais, à mon grand désarroi, devoir me transformer en un de ces acrobates ne craignant pas les défis funambulesques.

Long d'une dizaine de mètres, mais assez étroit pour inspirer une prière fervente avant de s'y engager, le tronc de chêne surplombant la rivière semblait avoir été coupé à cette fin.

Depuis que j'avais décidé d'affronter cette masse d'eau, bizarrement, elle me semblait de plus en plus déchaînée. Il m'était impossible de ne pas me soucier du fait que le moindre faux pas serait une catastrophe.

C'est alors que je me suis souvenu de la corde! Mais oui, les dix mètres de corde que nous nous étions procurés chez l'Inspecteur Gadget!

Après avoir fixé solidement la corde au tronc d'un énorme palmier, je l'ai ensuite attachée autour de ma taille. N'était-il pas rassurant de penser que j'allais peut-être mourir noyé au bout d'une corde plutôt qu'écrabouillé au pied des chutes?

Tranquillement, et en tenant ma corde d'une main si ferme que mes doigts ont changé trois fois de couleur, j'ai avancé sur le billot qui me paraissait aussi glissant qu'une savonnette.

Les deux bras dans les airs, tel un Boeing 747, je tentais de garder mon équilibre pendant que l'eau de la rivière s'abattait sur mes pieds, menaçant de m'emporter avec elle.

Comme si ce n'était pas suffisant, à mi-chemin de mon objectif, j'ai hélas compris que le tronc devait faire plus de dix mètres. En effet, j'étais déjà au bout de ma corde. Il ne manquait plus qu'une petite pluie fine et quelques éclairs.

Allez, hop! Je me suis détaché et trois grandes enjambées plus tard, j'ai pu me jeter de l'autre côté de la rivière.

Je n'ai mis qu'une dizaine de minutes à descendre le sentier et à me rendre au campement: à ma gauche, sur le côté est, les huttes des malfaiteurs — il devait y en avoir une dizaine — s'étalaient sur environ deux cents mètres. Devant moi, tout juste à l'ouest de celles-ci, il y avait l'énorme puits, et encore plus à l'ouest, les chutes d'eau.

Il semblait y avoir trois personnes chargées de la surveillance des lieux. En alternance, mitraillette en mains, les hommes faisaient le tour du campement.

Je devais attendre d'avoir le champ libre avant de pouvoir m'approcher. Je devais comprendre leur fonctionnement. Un homme s'occupait du côté ouest du campement, un autre faisait le guet à côté du puits (probablement là où se trouvaient mon père et les autres prisonniers) et, enfin, le dernier effectuait ses rondes du côté est du campement.

Les hommes prêtaient toutefois une attention particulière à la plus grande des huttes, qui ressemblait à celle où nous avions trouvé les dossiers confidentiels. À l'intérieur, d'autres hommes avaient une discussion plutôt animée dont je captais des bribes:

— ¿No... no sé... *Que vamos a hacer?* (Non... je ne sais pas... Qu'allons-nous faire?)

J'ai dû attendre que l'homme à ma gauche s'approche de son compagnon de surveillance avant de me lancer à toute vitesse en direction de la grande hutte.

Adossé contre un «mur» de paille, je sentais mon cœur battre à toute allure. Après quelques profondes respirations, j'ai enfoui un de mes émetteurs-récepteurs radio sous du foin et des brindilles afin d'en savoir le plus possible sur leurs opérations: motif de leurs actes, nombre et noms des criminels et, surtout, confirmation du lieu de détention des victimes.

J'ai jeté un coup d'œil par-dessus mon épaule: les deux hommes faisaient toujours la conversation… Allez, hop! Un autre sprint en direction de mon poste d'espionnage.

Muni de ces renseignements, je pourrais informer adéquatement la police. Les frères Johnson et Jonathan McDermitt allaient sans doute bientôt les avertir. Ce n'était qu'une question de temps avant que les hélicoptères ne viennent à notre secours.

Pendant près d'une demi-heure, j'ai écouté les discussions provenant de la hutte principale.

En traduisant quelques mots à l'aide de mon Berlitz, j'ai cru comprendre qu'ils parlaient de «*nino*»… Un enfant! Il en manquait un. C'était moi. Ils me cherchaient.

— Il faut le retrouver, disait quelqu'un. *Cric… Cric…*

— *¡Mañana!* (Demain!)

Au même moment, un homme est sorti de la grande hutte. Je l'ai reconnu.

Comment était-ce possible! C'était Javier Fernandez, le vieux pêcheur.

Jonathan McDermitt et les frères Johnson avaient été victimes d'une autre supercherie.

Le destin de mon père et de mes amis reposait maintenant entre mes mains.

8

La grande diversion

En plus de Javier Fernandez, j'ai vu non pas un, mais trois autres visages familiers. D'abord celui de José, le capitaine sans scrupules qui nous a abandonnés sur cette île, et ceux des deux policiers en civil qui accompagnaient l'attaché politique de l'ambassade de France. Je n'avais pas pu oublier ni la grosse barbe ni la cicatrice sous l'œil gauche. Voilà pourquoi les témoins et le dépliant de la croisière du *Diablo Azul* n'avaient pas suffi pour clore l'affaire. Comme le soupçonnait monsieur Banville, la police locale, du moins deux de ses membres, n'avait pas mené d'enquête, car elle était dans le coup! Pour quel motif?

Une fois de plus, c'est en écoutant bien et en fouillant dans mon mini-dictionnaire que j'ai compris: au lever du jour, José s'est entretenu avec son *jefe*... son patron. Ils parlaient d'une *ciudad*... d'une cité ou ville des anges.

Los Angeles. Bien sûr! Ils tentaient de joindre un homme important en Californie.

— *Vamos a communicar con el alcalde,* cric... *y tambien, con el señor Jackson que trabaja para CNN.* (Nous devons communiquer avec le maire de Los Angeles, *cric...* et avec monsieur Jackson qui travaille pour CNN.)

— *Tu firma* (Ta signature), lui a dit son patron. *¡Necesitamos tu firma!* (Nous avons besoin de ta signature!)

Les deux hommes se sont aussitôt rendus devant le puits et ont demandé au garde de faire monter un des prisonniers. À l'aide d'un trousseau d'une dizaine de clés, l'homme a ouvert la grille (fermée par trois énormes cadenas) reposant sur le dessus du puits.

— *Señor McDermitt*, s'est écrié le gardien. *¡Vamonos!* (Allons!)

Quelques instants plus tard, McDermitt est apparu. Même s'il se trouvait au fond de ce puits depuis quelques heures à peine, il était dans un état pitoyable. Il avait la chemise à moitié déchirée, et on aurait dit qu'on l'avait frappé au visage.

— *¿Es tu tío, el presidente de Sampson Oil?* (Ton oncle est bien le président de la Sampson Oil?) lui a demandé le patron de José avant que celui-ci ne traduise la question.

McDermitt a acquiescé. Puis, sous la menace d'une mitraillette, il a signé un bout de papier, probablement un document servant à prouver au maire de Los Angeles que son fils était toujours vivant. McDermitt a ensuite regagné le fond du puits.

Sampson Oil! Était-ce possible? Aurions-nous affaire à des guérilleros?

Je me suis alors souvenu de l'histoire de ces hommes de Calgary, kidnappés en

Colombie ou en Équateur, il y avait un an ou deux de cela. C'était l'œuvre d'un groupe qui cherchait à dénoncer la pollution causée par plusieurs compagnies pétrolières dans leur pays.

Ainsi, l'hypothèse formulée par l'attaché politique Banville se confirmait de plus en plus: un scandale politique! Un complot visant à obtenir une couverture médiatique dénonçant la terrible pollution causée par ces multinationales installées au Mexique, soutirant du pétrole tout en exploitant la main-d'œuvre mexicaine.

Incroyable! Et qui de mieux que Jonathan McDermitt, le fils du maire d'une des plus grandes villes américaines, pour attirer l'attention? Sans oublier la célèbre archéologue française Hélène Delormier ainsi que madame Roberts, fille de Peter Jackson, journaliste de CNN.

Ces hommes voulaient faire en sorte que le monde entier prenne conscience de ce qui se passait chez eux.

Mais à quel prix?

Bien sûr, les activités de plusieurs compagnies pétrolières sont des histoires d'horreur et méritent qu'on en parle... qu'on les dénonce... qu'on les crie sur tous les toits. Faites des manifestations! Inondez de lettres le maire de Los Angeles et le président des États-Unis. Écrivez même un livre sur le sujet si cela vous chante. Sachez toutefois, sombres malfaiteurs, que vous faites erreur en pensant que vous pouvez enlever ces gens et vous en laver les mains.

Une très grave erreur! *¡Muy loco y muy peligroso!* (Très fou et très dangereux!) comme l'a dit le vieux pêcheur. Maxime Routhier était sur le point de vous le faire comprendre.

Si j'avais été plus grand, plus fort et plus brave, je n'aurais sans doute pas attendu douze heures caché derrière ce palmier. Ces fous de ravisseurs étaient armés jusqu'aux dents!

J'ai préféré m'enfouir sous un tas de feuilles mortes en attendant le coucher du soleil. La journée m'a paru si longue! Mille fois, je me suis juré que dès mon retour au Canada, j'allais me ruer vers la première librairie afin de me procurer un livre sur la survie en forêt.-

D'ailleurs, je me suis surpris à zieuter un de ces gros insectes juteux qui avait l'air succulent. J'avoue que même un ragoût de feuilles de palmier aurait fait l'affaire. Un peu peureux, je me suis toutefois contenté de quelques piments et d'une bonne grande gorgée de leur jus.

Une fois le soleil couché, mon cœur a recommencé à battre à se rompre. L'idée d'avoir à passer à l'action me rendait des plus nerveux. C'était maintenant ou jamais! Il fallait que je libère les prisonniers.

Je me suis alors dirigé le plus silencieusement possible vers une clairière située à une centaine de mètres du campement des ravisseurs.

Il fallait que je détourne leur attention! Pour ce faire, quoi de mieux qu'un crayon

HB? Malheureusement, il m'en restait un seul.

Dix secondes! C'est tout le temps que j'avais avant qu'il n'explose. Tel un athlète olympique, j'allais devoir courir le 110 mètres haies (dans la jungle, les obstacles sont nombreux) en moins de dix secondes, et ce, sans qu'on me voie. En réussissant cet exploit, je me croyais capable de libérer les prisonniers. Du moins, de les faire sortir du puits.

Me voilà donc, Maxime Routhier, membre de l'escouade tactique ou athlète olympique? Je plante le crayon dans le sol. J'amorce le dispositif de détonation en tournant la gomme à effacer (doigts au sol, j'attends le signal). À vos marques... prêts... partez! «Clic...». Le détonateur est activé! Il est trop tard pour changer d'idée. La course folle commence. Emporté par la fureur (ou par la peur), je m'élance avec une énergie que je ne me connaissais pas. À toute allure, je me précipite, je cours, je saute de mes plus longues enjambées.

Mon cœur bat de plus en plus vite. Je vois le fil d'arrivée, le campement, les gardes, le puits, les chutes. Épuisé, mais surtout effrayé, je me jette par terre. La jungle a retenti du vacarme infernal provoqué par l'explosion d'un simple petit crayon HB dans la clairière. C'était l'hystérie!

Les ravisseurs sont sortis de leur hutte. Mitraillette à la main, ils se sont élancés vers la clairière. La voie était enfin libre! Sans hésiter, j'ai couru jusqu'au puits.

— Maxime! s'est écrié mon père en m'apercevant dans la lumière de ma lampe de poche.

Il devait bien y avoir près de quinze mètres entre nous. Les prisonniers étaient tous entassés les uns contre les autres.

J'ai entendu leurs murmures indignés lorsque j'ai sorti ma canette de boisson gazeuse. Comment pouvais-je être en train de me revigorer alors qu'ils craignaient pour leur vie?

Sans perdre de temps, j'ai ouvert la canette et versé quelques gouttes de solution acide sur chacun des trois cadenas. À ma grande joie, ces derniers ont fondu sous mes yeux de façon presque instantanée.

J'ai soulevé la grille et j'ai fait signe aux détenus de monter. Étrangement, personne n'osait bouger. Peut-être que ces gens n'en croyaient pas leurs yeux d'être libérés par un adolescent de treize ans.

— Allez ! Allez, a crié mon père. Montez !

— Maxime ! ai-je entendu de nouveau.

Cette fois-ci, la voix venait de derrière moi. C'était José, accompagné d'un homme armé d'une mitraillette.

— Ne bouge surtout pas ! m'a-t-il dit.

Les deux hommes s'approchaient lentement de moi. Qu'allais-je faire ? Nous étions si près du but.

— Ne bouge pas et il ne t'arrivera rien, Maxime, a répété José.

Et quoi encore ? Ils allaient me jeter au fond du puits et m'y enfermer à mon tour. Il n'en était pas question !

Rapide comme l'éclair, j'ai dégainé ma bouteille de poivre de Cayenne de ma poche de pantalon et je les ai bien aspergés, tout en prenant soin de me protéger les yeux. Ils ne voyaient plus rien.

— Allez, vite, vite! Sortez tous! ai-je ordonné aux prisonniers. Couchés sur le sol, se frottant les yeux, José et son compagnon n'allaient plus nous nuire pendant un bon moment.

En sortant du puits, mon père m'a serré dans ses bras. Comme il était fier! Encore une fois, je l'avais sorti d'une impasse.

— Arrête, arrête, on est loin d'être sortis du pétrin, lui ai-je dit.

Il ne semblait pas s'inquiéter outre mesure. Il s'est plutôt emparé du chargeur de la mitraillette du Mexicain aveuglé et de leurs lampes de poche. Pendant ce temps, moi, j'aidais les autres à sortir du puits. Ils y étaient tous: McDermitt, les frères Johnson, les Roberts, Hélène Delormier, Ralph Knaupp, Donovan Walsh et Joshua Taylor.

— Tout le monde est là, a également constaté mon père en regardant autour de lui. Qu'est-ce qu'on fait à présent?

Moi seul savais où nous nous trouvions. Il fallait faire vite, les ravisseurs avaient sûrement déjà compris qu'ils avaient fait l'objet d'une simple diversion.

— Le sentier! ai-je crié. Suivez-moi!

9

Mad Max Routhier

«*Ladies and gentlemen, please call him Mad Max! Mad Max Routhier*» (Mesdames et messieurs, appelez-le Mad Max! Mad Max Routhier), s'est écrié McDermitt en se dirigeant vers le tronc qui enjambait la rivière.

Il n'en revenait pas. Jamais il n'aurait cru que j'aurais pu accomplir de tels exploits. L'explosion, la diversion, l'évasion, l'attaque des gardes... Tout le monde admirait mes prouesses, mais par-dessus tout, les gens voulaient savoir comment j'avais réussi à traverser la rivière sur ce tronc d'arbre.

— Je n'en ai malheureusement aucune idée, leur ai-je avoué.

Sachant que c'était la meilleure façon de semer nos assaillants, une fois de plus, je me suis transformé en funambule. Dans la lumière des lampes de poche, adoptant la position du Boeing 747, j'ai réussi à traverser la rivière encore plus rapidement que la première fois.

Tous m'ont regardé d'un air incrédule, ne voulant pas croire qu'ils devaient en faire autant. Personne ne se sentait capable de répéter ce petit coup d'éclat. La corde! Si l'arbre mesurait vraiment vingt mètres, je n'avais qu'à l'attacher au milieu... Dix mètres de chaque côté, c'était parfait!

Aussitôt dit, aussitôt fait. À tour de rôle, les rescapés de la Isla Xcaret se lançaient la corde d'un côté à l'autre de la rivière.

Les choses se sont compliquées lorsque est venu le temps de faire traverser les jumeaux Johnson.

— Allez, les gars! leur a crié McDermitt. Faites vite! Ils arrivent.

Il ne mentait pas. Les ravisseurs étaient bel et bien à nos trousses. Je doutais toutefois que ce soit la meilleure façon de les rassurer.

Stephen a noué la corde autour de sa taille et s'est amené vers nous en tremblant. Il était trop jeune pour mourir, nous disait-il. Beaucoup trop jeune!

— C'est ça, c'est parfait. Continue, Stephen! Ne lâche pas. Tu y es presque, l'ai-je rassuré en le voyant osciller de tous bords, tous côtés. Lui aussi adoptait la position du Boeing 747, mais on l'aurait cru en pleine zone de turbulences. Il ne restait que quelques secondes avant son atterrissage qui se faisait de plus en plus urgent. Bien sûr, une fois les pieds sur la terre ferme, on aurait dit qu'il venait d'être couronné champion de Wimbledon.

— *Come on Steve!* (Allez, Steve!) a-t-il crié à son frère en sautant de joie. *It's very easy!* (C'est très facile!)

Mon père a aussitôt lancé la corde à Steve.

— *Come on Steve! Hurry up!* (Allez, Steve! Dépêche-toi!)

En voyant les ravisseurs approcher en grand nombre, Steve a pris mon père au mot: criant de toutes ses forces, il a entrepris sa course... un sprint, même! Malheureusement, il a terminé sa traversée les quatre fers en l'air dans la rivière!

— *Help! Help!* (À l'aide! À l'aide!) s'est-il mis à hurler.

Agrippant la première branche lui tombant sous la main, mon père s'est rué vers lui:

— *Hold on!* (Accroche-toi!) a-t-il ordonné en s'approchant de la rivière avec sa grande branche d'arbre.

Les uns derrière les autres, sachant que les ravisseurs n'étaient plus qu'à quelques mètres de nous, nous avons rapidement ramené notre ami sur la rive.

— *¡Vamonos! ¡Vamonos!* (Allons! Allons!) a lancé un des Mexicains.

Il tenait à ce que ses hommes traversent la rivière. Mais personne ne bougeait.

Sans attendre, nous avons pris nos jambes à notre cou et rejoint nos compagnons, déjà loin devant nous.

Notre aventure ou mésaventure, si vous préférez s'est terminée au sommet de «la montée de la mort», que j'ai renommée «la torture du siècle». Une fois rendus au sommet de la montagne, Neil et Pamela Roberts n'ont pas cessé de m'inonder de leurs remerciements. Ils voulaient s'assurer que je comprenais à quel point ils m'étaient reconnaissants.

Ayant reçu de nombreuses directives et explications des ravisseurs, ils m'ont confirmé que j'avais vu juste: le but de ces enlèvements était de faire prendre conscience au monde de la pollution que produisent certaines compagnies pétrolières américaines installées au Mexique. Ces pétrolières brûlent d'épaisses couches de gaz afin de retirer le pétrole brut du sol, attaquant ainsi directement la couche d'ozone, les forêts et les cours d'eau avoisinants. C'est une sombre réalité, mais justifie-t-elle de mettre des vies humaines en danger?

— Tu nous as sauvé la vie, m'a dit Pamela Roberts. Peut-être que nous ferons un reportage sur toi, a-t-elle poursuivi en faisant référence à son célèbre père.

Non, merci!

Côté bouffe, il y en avait plus d'un qui se plaignait. Il ne restait plus de piments forts et il n'y avait pas de bananes en vue.

— Un hamburger! s'est exclamé Donovan Walsh. Avec des petites tomates, des courges, des anchois et plein de fromage.

Il délirait! Il parlait du premier repas qu'il dégusterait à son retour. Une chose était certaine: il pouvait le garder pour lui, son hamburger. Les anchois, ce n'est pas ce que je préfère. Les piments forts, non plus d'ailleurs. J'allais sûrement boycotter les restos mexicains pendant quelques années.

— Qu'est-ce qui te fait dire, cher Donovan, que nous ne passerons pas le reste de notre vie sur cette île? lui a demandé Ralph Knaupp.

Un peu pessimiste, monsieur l'archéologue!

— C'est vrai, a renchéri Neil Roberts. Peut-être que personne ne viendra nous secourir.

Je me suis aussitôt montré très confiant.

— Ne vous inquiétez pas, leur ai-je dit. Tout est sous contrôle.

Évidemment, ils devaient se demander ce que je pouvais encore bien mijoter: la construction d'un satellite de communication, peut-être, ou même celle d'un avion en bambou?

Seule l'archéologue française, qui devait avoir tout près de cinquante ans, était d'un calme déconcertant. Elle parlait avec mon père.

— Alors, c'est vous le nouveau soupirant de Fabienne Brondex! a-t-elle lancé en comprenant que nous connaissions son amie et que c'était pour cette raison que nous étions venus à son secours.

— Oui, c'est moi.

Madame Delormier nous a expliqué que malgré cette mésaventure, elle avait rempli sa mission archéologique: découvrir le puits maya de la Isla Xcaret.

— J'avoue que je ne m'attendais pas à être emprisonnée dedans pendant plus d'un mois!

— Ce puits était-il bel et bien celui que vous recherchiez?

Madame Delormier a acquiescé.

— À l'époque des Mayas, ce puits était utilisé à des fins de rituels. On y sacrifiait des humains afin d'assurer la fertilité des sols. Les Mayas croyaient que le sang de leurs victimes pouvait provoquer des orages.

Sur ce, les frères Johnson sont venus me rejoindre. Ils tenaient absolument à savoir pourquoi j'étais si confiant. Ce n'est qu'en entendant le bruit des hélicoptères dans le ciel qu'ils ont compris.

— *Help is on its way! Look! Up there! The helicopters are here!* (Du secours! Regardez! Là-haut! Les hélicoptères sont ici!) ont-ils hurlé. Encore une fois, Johnson et Johnson avaient presque les larmes aux yeux, mais cette fois-ci, c'étaient des larmes de joie.

Tous sautaient, criaient et agitaient les bras. Les deux hélicoptères étaient là pour nous secourir. La montagne résonnait de nos cris de joie.

Le sommet de la montagne ne pouvant accueillir qu'un seul hélicoptère, un après l'autre, les pilotes ont posé leur appareil tout près de nous. Mon père, plus souriant que jamais, m'a demandé comment je m'y étais pris pour les avertir.

— Avant de partir, ai-je expliqué, j'ai prévenu le gérant de notre hôtel à Puerto Aventuras. Je lui avais demandé d'appeler l'ambassade du Canada si nous n'étions pas de retour d'ici cinq jours.

— Génial! Tu es génial! m'a-t-il dit en me serrant dans ses bras.

— Ça va, papa! On est en public après tout.

Une fois à bord, Français, Américains, Canadiens et Allemand étaient d'excellente humeur. Personne n'avait été aussi heureux depuis longtemps.

— Je suis bien content de t'avoir rencontré, Maxime. Nous avons vécu toute une aventure. Disons que ce sont des vacances dont je me souviendrai toute ma vie! m'a confié McDermitt que j'avais finalement appris à apprécier.

Pour ce qui est des ravisseurs, les policiers qui accompagnaient l'attaché politique de France, les amis du groupe d'activistes cherchant à dénoncer les récentes actions des compagnies pétrolières, José le capitaine et ceux qui, de près ou de loin, étaient reliés à l'affaire, se sont tous retrouvés derrière les barreaux. Je ne m'inquiétais toutefois pas pour eux, car leur cause était en bonnes mains: avec Jonathan McDermitt et la fille de Peter Jackson, de CNN, leur couverture médiatique, ils l'auraient certainement! Tout le monde saurait ce qui s'était passé dans la péninsule du Yucatan et, par conséquent, force est d'admettre qu'avec le temps, les compagnies américaines allaient peut-être devoir s'installer ailleurs.

Quelques minutes après notre envol, le pilote s'est adressé à mon père.

— Monsieur Routhier! On m'a chargé de vous remettre cette enveloppe.

Étonné, mon père l'a aussitôt ouverte. Elle contenait un courriel de Fabienne Brondex qui semblait morte d'inquiétude. Elle l'avait envoyé à l'ambassade canadienne, sachant qu'on finirait par le lui transmettre. Elle voulait lui assurer qu'elle et ses filles se faisaient un sang d'encre pour nous. Elle lui annonçait également qu'elle prenait le premier avion pour Mexico et lui donnait les coordonnées de son hôtel. Mon père était ému aux larmes!

À vrai dire, je l'aime bien, Fabienne, mais j'aurais grandement préféré recevoir une cassette audio qui s'autodétruirait après nous avoir expliqué les détails de notre prochaine mission: la capture de terroristes menaçant de soustraire le Québec de la carte géographique, une aventure où nous devrions nous assurer que la police locale n'est pas dans le coup, que Jonathan

McDermitt et les frères Johnson ne se baladent pas dans les alentours et que personne ne sera condamné à passer le reste de ses jours abandonné sur une quelconque île déserte. La routine, quoi!

Table des matières

Achevé d'imprimer en juillet 2008
sur les presses de Marquis imprimerie
Montmagny, Québec